MR.PINE'S MIXED-UP SIGNS

パインさんの ごちゃまぜ かんばん

レオナード・ケスラー／さく

小宮 由／やく

パインさんは、かんばんやです。
パインさんは、これまで
「とまれ」の　かんばん
「すすめ」の　かんばん
「はやく　すすめ」の　かんばん
「ゆっくり　すすめ」の　かんばん
を　つくりました。

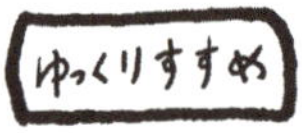

パインさんの
かんばん

それだけでなく、
パインさんの　すむ
リトル・タウンの
かんばんは、すべて
パインさんが
かきました。

町《まち》には、かんばんが
ひつようです。
どこの　おみせにも、
どこの　とおりにも、
どこの　どうろにも。

この　かんばんを、
ぜんぶ　パインさんが
つくったんですよ。

大《おお》きい
かんばんや、
小《ちい》さい　かんばん、
文字《もじ》だけの
かんばんや、
イラストつきの
かんばん。
　パインさんは、
どんな
かんばんでも
つくれます。

アイス
クリーム
コーン
バニラ
ピーチ
チェリー
チョコレート
10
セント
ふみきり
そくどおとせ
がっこう
ミミズ

「左《ひだり》に　すすめ」

「右《みぎ》に　すすめ」

「こうさてん
ちゅうい」

「こうじ中《ちゅう》
きけん！」

そうです。
リトル・
タウンには、
町《まち》に
ひつような
かんばんが、
すべて
そろって
いたのです。

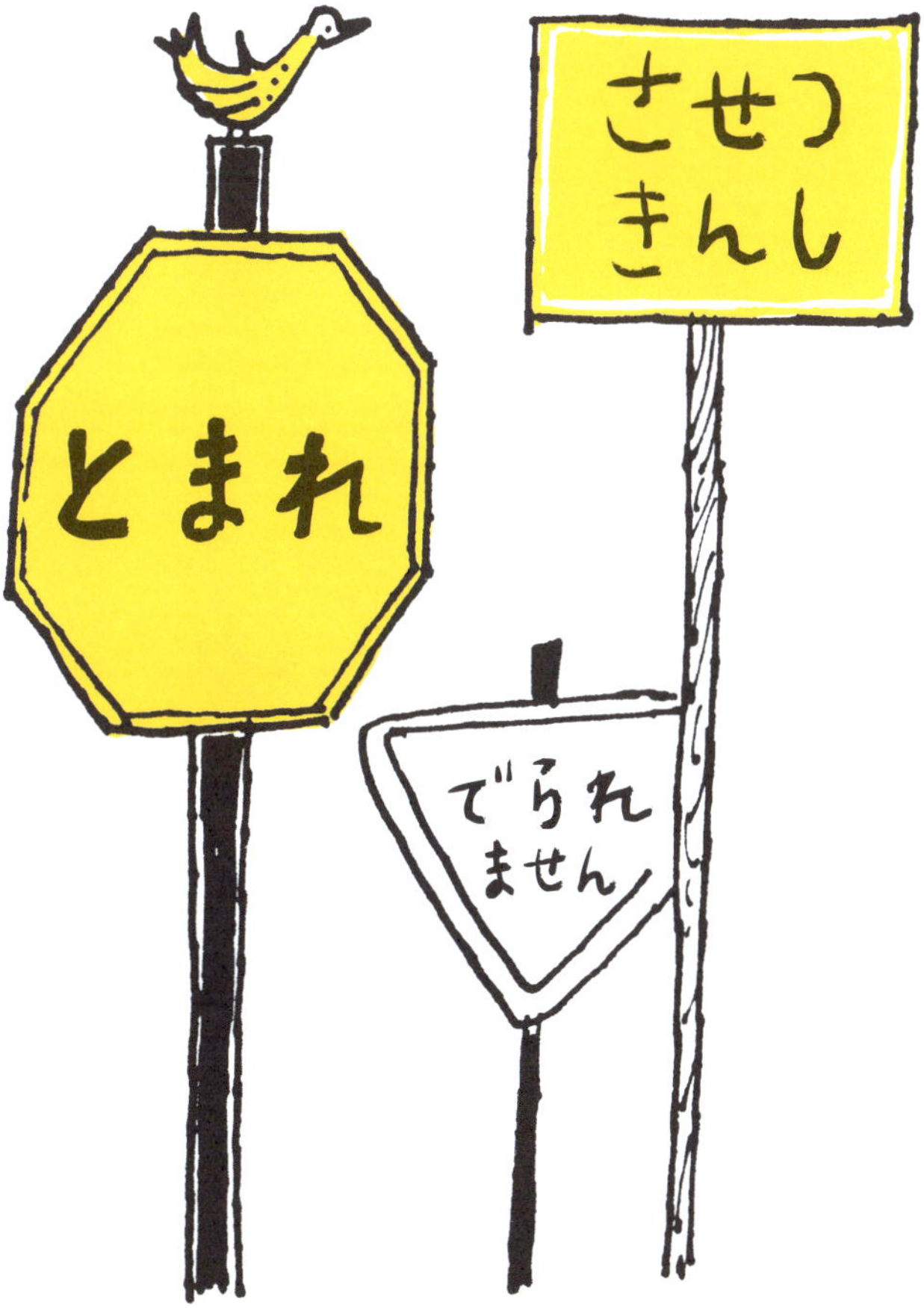

ところが、
リトル・タウンに、
雨《あめ》が　ふり、
ゆきが　つもり、
かぜが　ふきつけ、
日《ひ》が　てりつけて、

町《まち》の
かんばんは、
すこしずつ
すこしずつ
ふるくなり、
文字《もじ》が
かすれて
いきました。

すると、
町《まち》の人《ひと》たちは、
かんばんの
文字《もじ》が
よめなくなって
しまいました。

「この町《まち》には、
あたらしい
かんばんが
ひつようだ。」
と、リトル・タウンの
町《ちょう》ちょうさんが
いいました。
「パインさんに、
おねがいしよう。」

町《ちょう》ちょうさんは、
さっそく　パインさんに
あいに　いきました。
「パインさん、われわれには、
あたらしい　かんばんが
ひつようです。
町中《まちじゅう》の　すべての
かんばんを　つくりかえて
もらえませんか？」
と、町《ちょう》ちょうさんが
いいました。

「もちろん、
いいですとも。」
と、パインさんは
いいました。
「わしは、
かんばんを
かくのが
大《だい》すきですから。
ぜんぶ
あたらしくして
つけかえましょう。」

パインのかんばん
かんばん
なら
おまかせ

「すぐに
ひつようですから、
早《はや》めに
おねがいしますね。」
と、町《ちょう》ちょうさんは
いいました。
「ええ、すぐに　やります。
一《いっ》しゅうかんも　あれば、
できるでしょう。」
と、パインさんは
いいました。

パインさんは、さっそく
しごとに　かかりました。
かんばんを、かいて　かいて
かきつづけたのです。
大《おお》きい　かんばん、小《ちい》さい　かんばん、
まるい　かんばん、赤《あか》い　かんばん、
青《あお》い　かんばん、みどりの　かんばん。
それは　もう、たくさん！
そして、一《いっ》しゅうかんご、
すべての　かんばんを
すっかり　かきおえました。

そくどおとせ
がっこう
ガソリン
33
セント
せんな
さかな
U
ターン
きんし
ほんや
ペット
ショップ
いっぽうつうこう
とまれ

「あとは、
ペンキが
かわくのを
まつだけだ。」
と、パインさんは
いいました。
「あさに　なったら、
町中《まちじゅう》の　かんばんを
つけかえに　いこう。」

つぎの日《ひ》の　あさ、
ベッドから　おきた
パインさんは、
きょろきょろ
していました。
「おや？
わしの
めがねは
どこ　いった？」

パインさんは　まず、
ここを　さがして、

ここも　さがして、

ここも　さがして、

こんなところも
さがしました！

いえ中《じゅう》　さがしまわりましたが、
めがねは、どこにも　見《み》あたりません。
「いったい、どうなってるんだ？」
と、パインさんは　いいました。
「めがねが　ないと、
すべてが　ぼんやりだ！
わしの　めがねは　どこ　いった？」

ガソリン
33
セント
ほんや
とまれ

でも、きょうは、
かんばんを
つけかえる日《ひ》です。
パインさんは、
めがねなしで、
町《まち》へ　出《で》かけていきました。
パインさんは、さっそく、
リトル・タウンの
あちこちに、
あたらしい　かんばんを
とりつけていきました。

でも、パインさんは、
きづいて
いなかったのです。
つけかえた
かんばんが、
とんでもないことに
なっている、
ということを！

ほら、町《まち》は
ごらんのとおり。

くつや クラーク
ペッピー りはつてん
ガソリン
33セント
さかな
ニュー
シティ
させつ
きんし

どうろだって、
こんな
かんじです！

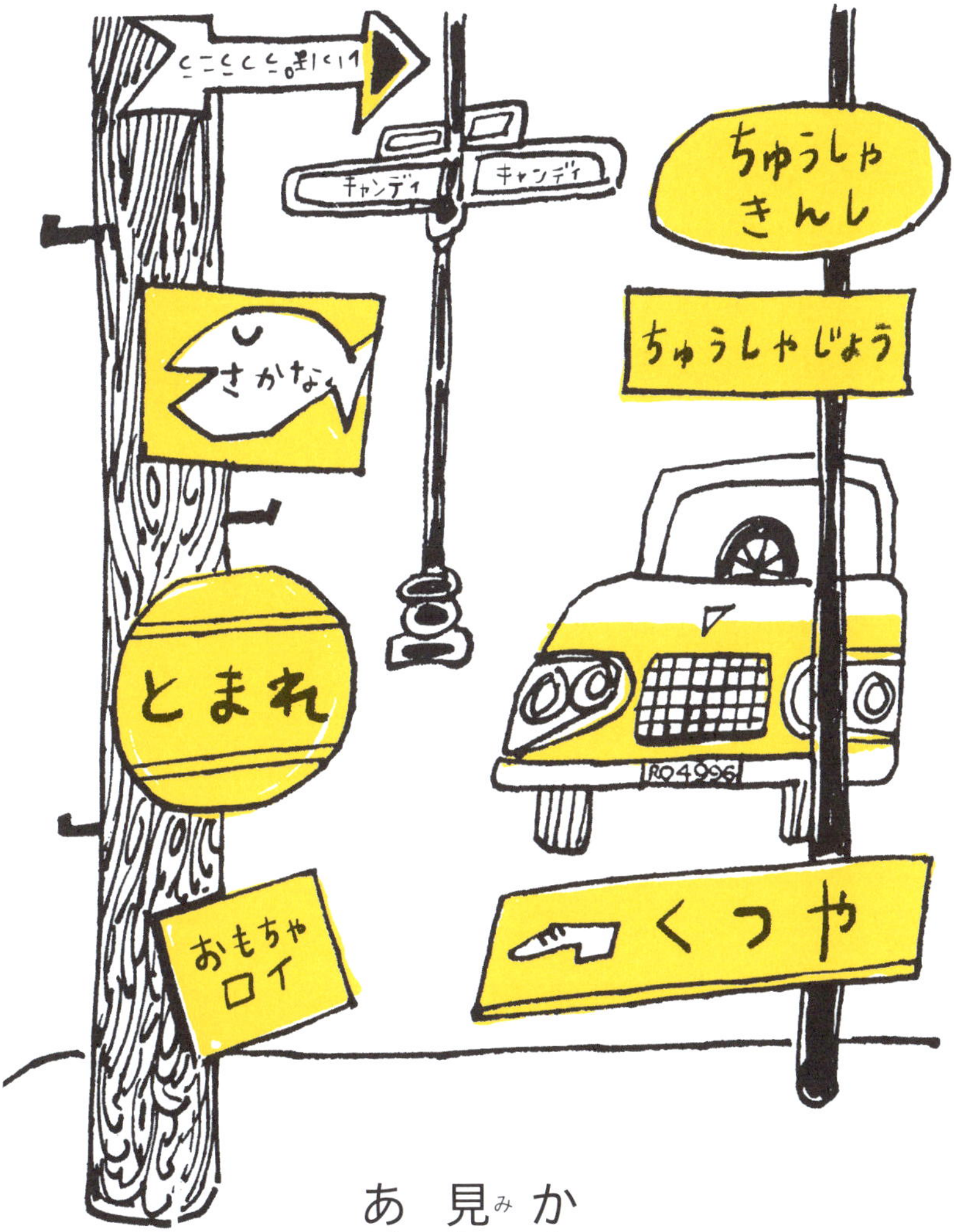

こんな
かんばんの町《まち》、
見《み》たことが
ありますか？

ケーキやの
ジョーンズさんが、
みせを　あけに
そとへ
出《で》てきました。
　すると、
みせの　かんばんが
「ぼうしやさん」に
なっていました！

くつやの
クラークさんが、
みせを　あけに
やってきました。
すると、
みせの　まどに
「ガソリン
33セント」
という
かんばんが
ついていました！

おかしやの　ヒルさんも、
みせを　あけに　やってきました。
すると、みせの　ドアに
「ペットショップ　かわいい　こねこと　こいぬ」
という　かんばんが　ついていました！

おかしやヒル
キャンディ
キャンディ
ペットショップ
おかしや
ヒル
ペット
ショップ
かわいい
こねこと
こいぬ

ちゅうしゃきんし
ほんを よもう
ほんや
ブラウン
パイン
さん
だれの
ぼうし?
ちゅう
ちゅう

本《ほん》やの　ブラウンさんが、　みせを
あけに　やってきました。
みせの　かんばんは、
なにに　なっていたと　おもいます？
そう「ちゅうしゃ　きんし」という
大《おお》きな　かんばんが　ついていたのです！

どこの　おみせも、
どこの　とおりも、
どこの　どうろも、
かんばんは、すべて
あたらしく　なっていましたが、
どれも　これも
ごちゃまぜだったのです！

ぎんこうの
かんばんだって、
ほら
「パンや」に
なっています。

キャンディ5セント
どうぶつえんこちら

大《おお》どおりの　かんばんは
「キャンディ　5セント」に
なっていましたし、
町《ちょう》ちょうさんの
いえの　ドアには
「どうぶつえん　こちら」と、
かいてあるでは　ありませんか！

「いったい
ぜんたい
どうなってるんだ！」
と、町《ちょう》ちょうさんは
さけびました。
「すぐに、
パインさんを
よべ！」

町《まち》の人《ひと》たちは、
パインさんを
さがしました。
「パインさん、
パインさん、
パインさんは
どこだ？」

いっぽう、
パインさんは、
いえで
めがねを
さがしていました。
「めがね、
めがね、
めがねは
どこだ？」

そのころ、
リトル・タウンでは、
まちがった
かんばんの　せいで、
車《くるま》が、おなじところを
ぐるぐる　ぐるぐる
まわっていました。
もう、あたまの中《なか》まで
ぐるぐるです。

見《み》てください。
「とまれ」という　かんばんの下《した》に、
「すすめ」という　かんばんが　あり、
さらに　その下《した》には
「はやく　すすめ」と　あって、
その　すぐ下《した》には
「ゆっくり　すすめ」という
かんばんが　あるのです。
とまって、すすんで、はやく　すすんで、
ゆっくり　すすむ、だなんて……
いったい、どうしたら　いいのでしょう？

とまれ
いっぽうつうこう
すすめ
はやく
すすめ
ゆっくり
すすめ

「パインさんを
よんでくれー！」
こうつう
せいりを
していた
おまわりさんが、
さけんで
いました。

そのころ、
パインさんは、
まだ　いえで
めがねを
さがしていました。
「わしは、どこに
めがねを
おいたかな？
こっちかな？
それとも
あっちかな？」

「早《はや》く　めがねを
見《み》つけて、
あたらしい　かんばんの
できばえを
見《み》にいきたい！」

あちこち
さがした
パインさんは、
とうとう
こんな
ところまで
さがしに
きました。

あっ、あった！　ありました！
こんなところに　あるなんて。
パインさんは、めがねが
見《み》つかって　ほっとしました。
そして、すぐに　めがねを
かけると、さっそく　町《まち》へ
出《で》かけていきました。
「やっ！　ややや っ！」
町《まち》の　ようすを　見《み》た
パインさんは、
びっくりしました。

パインさんが
見《み》た
リトル・タウンは、
こんな　ふうに
なって
いたのです。

「こりゃ　まずい！
ぜんぶ
まちがっとるじゃないか！」
パインさんは、
そう　さけぶと、
町《ちょう》ちょうさんを
さがしに　あわてて
はしりだしました。
いっぽう、町《ちょう》ちょうさんも、
あちこち　はしりまわって、
パインさんを
さがしていました。

「パインさん！」
町《ちょう》ちょうさんが
さけびました。
「町《ちょう》ちょうさん！」
パインさんも
さけびました。
そして、ふたりは、
どうじに　おなじことを
いいました。
「町中《まちじゅう》の　かんばんが
ごちゃまぜだ！」

「すぐに
なおします！」
パインさんは、
そう　いって、
いそいで
しごとに
かかりました。

そうして、 あたらしい
かんばんは、 それぞれ
ただしい ばしょに
つけかえられ、
リトル・タウンは、
もとどおりに なりました。
でも、町《まち》の人《ひと》たちは、
パインさんの ことと、かんばんが
ごちゃまぜに なった日《ひ》の
ことを、いつまでも
わすれなかったんですって！

（おしまい）

作者《さくしゃ》のことば

わたしが、かんばんを好《す》きになったわけ

わたしは、小《ちい》さいころ、かんばんにむちゅうでした。かんばんなら、どんなものでも、すきだったのです。むかし、うちのとなりに、マイクさんという画家《がか》がすんでいて、この人《ひと》は、かんばんやでもありました。マイクさんの家《いえ》の1かいが、かんばんやだったのです。

わたしは、よくマイクさんのそばにすわって、マイクさんが、かんばんを描《か》くのをあきずに見《み》ていました。そんなとき、マイクさんは、わたしに、こういいました。

「レオナードくん、ぼくはね、ただかんばんを描《か》いてるんじゃなくて、人助《ひとだす》けをしてるんだよ。ぼくは、かんばんで、みんなに、だいじなことをつたえてるんだ。ほら、これを見《み》てごらん」

マイクさんは「とまれ」のかんばんを見《み》せてくれました。

「車《くるま》をうんてんしている人《ひと》は、これを見《み》たら、とまらなければならない。
そして、車《くるま》がとまることによって、あるいている人《ひと》を助《たす》けてるんだよ」
それからマイクさんは「こいつはね、ぼくのお気《き》に入《い》りなんだ」
といって、べつのかんばんを見《み》せてくれました。それは「アイスクリーム
シングル 5セント ダブル 10セント」という、
アイスクリームの絵《え》が描《か》かれたかんばんでした。
わたしは、かんばんで字《じ》をおぼえました。だから、わたしがさいしょに
おぼえた字《じ》は「いっぽうつうこう」「ペット」「とこや」「ガソリン」
「おもちゃや」「さかなや」「ぎんこう」「パンや」「くつや」などでした。
わたしは、よく読者《どくしゃ》から「あなたの本《ほん》のアイデアは、どこから生《う》まれる
んですか？」と、きかれることがあります。アイデアのみなもとは、
本《ほん》によってさまざまです。なにげない子《こ》どもの質問《しつもん》から、ひらめくことも
ありますし、わたしの五感《ごかん》やそうぞう力《りょく》から出《で》てくることもあります。
そして、この本《ほん》は……マイクさんのかんばんやですごした、
しょうねんじだいのしあわせな日々《ひび》の思《おも》い出《で》から生《う》まれたのです。

レオナード・ケスラー（1920-2022）

アメリカ、オハイオ州生まれ。画家だった祖母の影響で絵が好きになり、高校に通いながら看板を描く仕事をし、戦後、ペンシルベニア州のカーネギーメロン大学に入学。画家のアンディ・ウォーホルと知り合い、卒業後も親交を深めた。26歳の時に、ソーシャルワーカーであり幼稚園教諭だったエセルと結婚し、1949年にニューヨークへ移住。31歳の時に『What's In a Line?』で絵本作家としてデビューすると、以後、200冊以上の作品を発表。内、妻との共作が40冊以上ある。主な邦訳作品に『うさぎがいっぱい』（大日本図書）などがある。

小宮《こみや》 由《ゆう》（1974-）

東京生まれ。2004年より東京・阿佐ヶ谷で家庭文庫「このあの文庫」主宰。主な訳書に「おはなし3にんぐみ」「ぼくはめいたんてい」「こころのほんばこ」「こころのかいだん」シリーズ（大日本図書）、『さかさ町』『けんかのたね』（岩波書店）、『パイパーさんのバス』（徳間書店）、「おばけのジョージー」「ねこのオーランドー」シリーズ（好学社）など多数。祖父は、トルストイ文学の翻訳家であり良心的兵役拒否者である、故 北御門二郎。

パインさんのごちゃまぜかんばん

作　レオナード・ケスラー
訳　小宮 由

2024年7月25日　第1刷発行
2025年2月28日　第2刷発行
発行者：中村 潤
発行所：大日本図書株式会社
〒112-0012 東京都文京区大塚 3-11-6
URL：https://www.dainippon-tosho.co.jp/
電話：03-5940-8678（編集）　03-5940-8679（販売）
　　　048-421-7812（受注センター）
振替：00190-2-219

デザイン：ITF/NOTE BASE　石川智子
印刷：株式会社精興社
製本：株式会社若林製本工場

ISBN978-4-477-03513-0　C8397　60P　21.0㎝×14.8㎝　NDC933